Свен Нурдквист

ИМЕНИННЫЙ ПИРОГ

Перевод со шведского Виктории Петруничевой

Sven Nordqvist

PANNKAKSTÅRTAN

БЕЛАЯ ВОРОНА
ALBUS CORVUS
Москва · 2021

Петсон и его котёнок Финдус живут в маленьком домике в небольшой деревушке. У Петсона есть курятник, два сарая и сад. Вокруг деревушки зеленеют луга и поля, а за ними начинается густой лес.

В деревне все считают Петсона чудаком. Как начнут соседи сплетничать друг с другом о том о сём — и не разберёшь, где правда, а где нет.

Конечно, кое в чём они правы — Петсон действительно очень рассеянный и забывчивый.

К тому же он любит разговаривать со своим котёнком, когда поблизости никого нет. Конечно, Петсон не совсем такой, как все. Ничего страшного в этом, впрочем, нет, но однажды сосед Густавсон рассказал такое… Он своими глазами видел, как Петсон замесил очень странное тесто для пирога, а потом зачем-то полез на крышу, хотя собирался идти в магазин. Да еще привязал котёнка за хвост к занавеске! И всё это было на самом деле, ведь не стал бы Густавсон выдумывать. Ну разве обычно люди ведут себя вот так, как Петсон?

«Чудной он всё-таки», — решили соседи.

То, что так долго обсуждали соседи, случилось в день рождения Финдуса. Котёнок празднует его три раза в год, потому что так веселее. И каждый раз, когда у Финдуса случается день рождения, Петсон печёт ему именинный пирог.

В то утро Петсон, как обычно, сходил в курятник и набрал полную корзину яиц. Потом он уселся на скамью перед домом и стал очищать скорлупу от грязи. Петсон очень старался во всём следить за порядком, поэтому он хотел, чтобы яйца были чистые и красивые. Финдус нетерпеливо расхаживал по скамейке и ждал, когда же хозяин наконец займётся пирогом.

— Сколько можно возиться с этими яйцами? — проворчал котёнок. —
Мой день рождения наступит раньше, чем ты успеешь замесить тесто.
— Не переживай, — успокоил его Петсон. — Сейчас займёмся пирогом.
Возьмём-ка мы три яйца и пойдём на кухню. Вот увидишь, мы всё
успеем.
— Разумеется, успеем, — ответил Финдус.
Он был уже на кухне и пытался найти сковороду.

Корзину они оставили в саду.
Петсон разбил яйца в миску.

— Теперь нам нужны молоко, сахар, немного соли, масло и мука, — сказал он и полез в чулан. Но муки там не было.

— Где же она может быть? Ты случайно не слопал всю нашу муку, Финдус? — крикнул Петсон из чулана.

— Да я вообще никогда в жизни не ел муки, — обиделся котёнок.

«Что ли, сам я её съел?..» — задумался Петсон и почесал в затылке.

Он трижды залезал в чулан, искал в печке, в гардеробе и даже проверил, не лежит ли мука под диваном, но так ничего и не нашёл.

— Придётся съездить в магазин и купить муки. Жди меня здесь, я скоро вернусь, — сказал Петсон котёнку и пошёл за велосипедом.

Но котёнок не хотел ждать дома и выскочил на улицу раньше хозяина.

Только Петсон собрался сесть на велосипед и поехать, как вдруг заметил, что заднее колесо спущено.

— Это ещё что такое? Финдус, неужели ты прогрыз дыру в шине? — сердито спросил котёнка хозяин.

— Да я вообще никогда не грызу шины, — обиженно ответил Финдус.

— Похоже, и шину я сам прогрыз, — пробормотал расстроенный Петсон и почесал за ухом. — Ладно, неважно. Сейчас я принесу инструменты, быстренько всё починю, съезжу в магазин за мукой, и мы доделаем пирог.

Финдус решил не ждать хозяина и помчался к сараю.

Петсон подошёл к двери сарая и попытался её открыть, но не тут-то было! Дверь оказалась заперта, а ключ исчез.

— Что бы это значило? Раньше я эту дверь никогда не запирал, — рассердился Петсон. — Это ты потерял ключ, Финдус?

— Я в жизни не потерял ещё ни одного ключа, — обиделся Финдус.

— Наверное, это я сам потерял. Экая досада, — проворчал Петсон и потёр переносицу.

На всякий случай он заглянул в окно, потом подёргал дверь ещё раз, но она не поддавалась.

Финдус наклонился над колодцем и позвал хозяина. Петсон поспешил к нему.

— Ты только посмотри! Ключ лежит на самом дне. Как он мог там оказаться? И как нам его оттуда достать? — Петсон стоял у колодца и, закусив губу, размышлял. — Придумал! Если я привяжу крючок к длинной палке, то я смогу выудить ключ. У тебя есть какая-нибудь палка, Финдус?

— В жизни не было у меня длинной палки, — ответил Финдус. Он не знал, стоит ли ему обидеться и на этот раз.

— Тогда придётся поискать самому. — Петсон задумался и почесал шляпу. — Погоди-ка, сейчас что-нибудь придумаем. Найдём подходящую палку. Достанем ключ, войдём в сарай, возьмём инструменты, починим велосипед, я съезжу наконец в магазин за мукой, и мы доделаем пирог.

Но котёнок не стал ждать, он первым побежал за палкой.

Петсон с Финдусом принялись повсюду искать длинную палку: в курятнике, за сараем, в саду, под диваном и в чулане. Но нигде не нашли ничего подходящего. Пока наконец Петсон не вспомнил, что на чердаке у него есть удочка.

«Удочка вполне подойдёт, — подумал Петсон. — Надо только принести лестницу, забраться на крышу, а оттуда на чердак. Но лестница стоит за сараем, где начинается пастбище Андерсона. На пастбище спит его бык, а вместо подушки у него моя лестница. Я не решусь пойти туда и забрать её, потому что тогда бык проснётся и рассвирепеет. Надо бы его обмануть. Но как это сделать?»

Петсон подёргал себя за бороду и задумался.

— Ты никогда не участвовал в бое быков? — спросил Финдуса хозяин после долгого раздумья.

— Не-е-ет. Никогда в жизни не гонялся за быком, — испуганно ответил котёнок.

— Жаль, — вздохнул Петсон. — Потому что если нам не удастся отогнать быка, мы не сможем принести лестницу и не попадём на чердак, где лежит удочка. Значит, я не достану ключ из колодца, не войду в сарай, не возьму инструменты, не починю велосипед, не съезжу в магазин за мукой.

И не получится никакого пирога. А что за день рождения без пирога?

Финдус немного помолчал, а потом сказал:

— Разумеется, я дразнил коров разок-другой. Думаю, у меня получится прогнать старого быка, раз тебе этого так хочется.

— Мне очень хочется пирога. — Петсон хитро прищурился и посмотрел на котёнка. — Ты ведь бегаешь быстрее всех, когда не ленишься. Сейчас я принесу кое-что, и ты сможешь как следует погонять этого быка. Погоди, я скоро вернусь. — И Петсон пошёл к дому.

На кухне Петсон снял жёлтую с красными цветами занавеску, принёс из гостиной граммофон и пластинку.

Потом он вышел во двор и крепко привязал занавеску к хвосту Финдуса.

— Примерно такие занавески используют в Испании во время боя быков, — объяснил котёнку хозяин. — Ну а теперь жди моего сигнала.

Петсон придвинул граммофон поближе к забору, за которым спал бык, поставил пластинку и стал крутить ручку. Зазвучала песня «К морю».

— Это разбудит кого угодно, — усмехнулся Петсон.

Когда песня только началась, бык сонно потряс головой, потоптался, но не проснулся. Дело в том, что первый куплет певец исполнял довольно тихо. Но потом он запел во всю мочь, и бык очнулся.

Он был очень зол, что его побеспокоили:
— Это что ещё за безобразие?

Бык мрачно посмотрел на шмеля, который летал над его головой. Кажется, он здесь ни при чём. Шумело где-то сзади. Бык повернулся и увидел Петсона, Финдуса и граммофон.

— Сейчас же уберите этот грохот! — заревел разъярённый бык. — Не то я сам его уберу!

Бык наклонил голову и приготовился к прыжку. Все его мускулы напряглись, и он ринулся туда, где были Петсон, котёнок и граммофон.

— Беги! — шепнул Финдусу хозяин. — Беги со всех ног!

И Финдус рванулся вперёд, как комета, а за ним летела жёлто-красная занавеска. Как только бык увидел её, он понёсся следом. Он ещё не совсем проснулся и был так сердит, что решил, будто весь переполох начался из-за этой тряпки.

Как только бык исчез
из виду, Петсон поспешно
пролез под забором
и забрал лестницу.
Едва он успел
вернуться, мимо
со скоростью света
промчался Финдус
с развевающейся
занавеской
на хвосте.

Бык невероятно устал от этой гонки. Он стоял вдалеке и пыхтел. Он совершенно не понимал, что же всё-таки произошло. Котёнок ничего не замечал, он просто нёсся со страшной скоростью, не разбирая дороги.

И тут он выскочил к тому месту, где стояла корзина с яйцами. Занавеска зацепилась за ручку корзины, и корзина перевернулась. В следующую секунду занавеска обвилась вокруг ноги Петсона и тот грохнулся прямо в лужу из разбитых яиц.

Петсон очень рассердился. И как только выбрался из скользкой жижи, возмущённо уставился на котёнка.

— Финдус!!! Как тебе пришло в голову оставить корзину с яйцами на скамейке, бездельник?! Ты посмотри, что с ними стало!

— Ничего себе! Да я никогда в жизни не ставил яйца
на скамейку, — фыркнул оскорблённый котёнок.

— Ну конечно, скажи ещё, что это я! — буркнул в ответ хозяин.

Но потом он успокоился, потому что у Финдуса всё-таки был день
рождения.

— Да-а, жалко, конечно, — вздохнул
Петсон. — Теперь мне сначала придётся
убрать всю грязь, и только потом
мы займёмся пирогом. Я, как ты знаешь,
хочу, чтобы во всём был порядок.

Петсон взял лопату и начал собирать
липкие скорлупки в помойное ведро.
В этот момент пришёл Густавсон.

— Привет, Петсон! Работаешь не
покладая рук? — Густавсон удивлённо
посмотрел на разбитые яйца.

— Не совсем, — пробормотал
Петсон. — Вообще-то у Финдуса сегодня
день рождения, и я как раз собирался
замесить тесто. Хочу испечь настоящий
именинный пирог.

Петсон собрал остатки яиц в ведро, выпрямился и вытер руки о штаны. Тут он почувствовал, что штаны тоже все грязные и скользкие.

«Могу я наконец купить себе новые брюки? Этим-то уже больше тридцати лет», — подумал Петсон и снял штаны.

— И штаны мы выбросим. Раз уж день рождения отмечается всего три раза в год, надо отпраздновать его как следует, — объяснил Петсон и кинул штаны в ведро.

Густавсон уставился на жижу. Это — тесто для пирога?! Он покосился на Петсона. «Наверное, сосед сошёл с ума, — подумал Густавсон. — Лучше сделать вид, что я ничего не заметил».

— Вот как! Ты задумал испечь пирог себе и кошечке. Похоже, у вас сегодня будет настоящий пир! — Густавсон старался скрыть удивление.

— Обязательно! — гордо заверил его Петсон. — Пирог по моему собственному рецепту. Но сначала мне надо сходить в магазин за мукой. Подожди минутку, я сейчас вернусь.

Петсон взял лестницу, пошёл к сараю, забрался на крышу и исчез за дымоходом.

Густавсон несколько секунд стоял, уставившись на сарай. Потом взглянул на ведро с разбитыми яйцами, на Финдуса, который нетерпеливо ходил кругами с привязанной к хвосту занавеской, на граммофон с пластинкой, которую заело на словах «к мо-о-о-орю, мо-о-о-рю, мо-о-о-о-о-рю»...

Густавсон ещё раз посмотрел на крышу сарая.
— Вообще-то магазин находится в другой стороне, — пробормотал он вполголоса, повернулся и пошёл домой. Он был очень озадачен.

С того самого дня вся деревня считает Петсона чокнутым. Только Финдус так не думает.

Потому что
с чердака Петсон
принёс удочку,
потом привязал к ней
крючок из проволоки,
пошёл к колодцу,
вытащил из колодца
ключ от сарая,
открыл сарай,
достал инструменты,
починил велосипед,
съездил в магазин
и привёз муку и новые
брюки. А потом
он испёк для котёнка
необыкновенно
вкусный именинный
пирог.

Вечером Финдус и Петсон сидели в саду, пили кофе с пирогом и слушали пластинку с прекрасными венскими вальсами. Так бывает всегда, когда котёнок справляет свой день рождения.

И не такой уж Петсон чудак.

УДК 821.113.6-93
ББК 84(4Шве)
Н90

Для чтения взрослыми детям

Свен Нурдквист

ИМЕНИННЫЙ ПИРОГ

Иллюстрации автора

Перевод Виктории Петруничевой

Главный редактор Ксения Коваленко
Директор издательства Татьяна Кормер

ООО «Издательство Альбус корвус»
www.albuscorvus.ru
readers@albuscorvus.ru
Интернет-магазин: albuscorvus.shop

Подписано в печать 25.05.2021
Формат 60x90/8. Усл. печ. л. 3,0
Тираж 5000

ISBN 978-5-906640-01-7

© Sven Nordqvist, 1996
© Виктория Петруничева, перевод, 2013
© ООО «Издательство Альбус корвус»,
издание на русском языке, 2021

Заказ №128190
Отпечатано в типографии SIA «PNB Print», Латвия
www.pnbprint.eu

Серия книг о старике **Петсоне** и котенке **Финдусе**

Свен Нурдквист
ИМЕНИННЫЙ **ПИРОГ**

Свен Нурдквист
ПЕРЕПОЛОХ В ОГОРОДЕ

Свен Нурдквист
ПЕТСОН ГРУСТИТ

Свен Нурдквист
ЧУЖАК В ОГОРОДЕ

Первая книга была написана в 1984 году. Но начинать с неё вовсе не обязательно!

Свен Нурдквист
ПЕТСОН ИДЁТ В ПОХОД

Свен Нурдквист
ИСТОРИЯ О ТОМ, КАК ФИНДУС ПОТЕРЯЛСЯ, КОГДА БЫЛ МАЛЕНЬКИЙ

Свен Нурдквист
РОЖДЕСТВО В ДОМИКЕ ПЕТСОНА

Свен Нурдквист
ОХОТА НА ЛИС

О том, как познакомились Петсон и Финдус.

Свен Нурдквист
А ну-ка, Петсон!

книжка-картинка для самых маленьких!

Свен Нурдквист
МЕХАНИЧЕСКИЙ ДЕД МОРОЗ

Свен Нурдквист
ФИНДУС ПЕРЕЕЗЖАЕТ

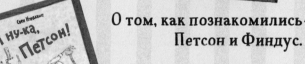
Песенник Петсона и Финдуса
Свен Хедлин
№1

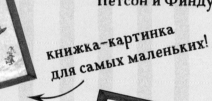
Песенник Петсона и Финдуса
№2

Готовим вместе с Петсоном и Финдусом
Свен Нурдквист (идея и иллюстрации)
Кристин Самуэльсон (рецепты)

Эва-Лена Ларсон и Кеннерт Даниельсон
ПОДЕЛКИ ФИНДУСА
Иллюстрации Свена Нурдквиста

Песенники со стихами и нотами. Все песни можно послушать и скачать на музыкальных сервисах

книжки-картонки

Свен Нурдквист
ЧЕТЫРЕ СЕКРЕТА ФИНДУСА

Свен Нурдквист
Где Петсон?

Как Петсон и Финдус мастерили машину
Свен Нурдквист

Книжка-картонка с подвижными деталями

Теперь книги серии можно слушать!

ЛитРес:

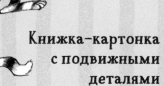
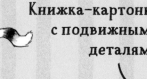

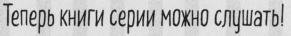